LE MYSTÈRE DE LA CHAMBRE JAUNE

GASTON LEROUX

Adapté en français facile
par Brigitte Faucard-Martinez

CLE
INTERNATIONAL

ISBN : 978-209-031128-0

GASTON LEROUX naît le 6 mai 1868 à Paris.

Il obtient son baccalauréat en 1886 puis sa licence de droit en 1889.

À partir de 1897, il fait partie de la rédaction* du journal* *Le Matin*, pour lequel il va devenir par la suite un grand reporter*.

C'est aussi cette année-là qu'il commence sa carrière littéraire. Il crée d'abord le personnage de Rouletabille, qui apparaît dans *Le Mystère de la chambre jaune* (1907), *Le Parfum de la dame en noir* (1907), *Rouletabille chez le tsar* (1912), *Rouletabille à la guerre* (1914), *Rouletabille chez les bohémiens* (1922)... puis le personnage de Chéri-Bibi, qui apparaît à son tour dans de nombreux romans. Il est également l'auteur du célèbre roman *Le Fantôme de l'Opéra* (1910).

Il meurt le 15 avril 1927 à Nice.

***

Gaston Leroux est un des premiers écrivains de romans policiers français.

Dans *Le Mystère de la chambre jaune*, d'abord publié* sous forme de feuilleton*, et qui fut à plusieurs reprises adapté au cinéma, Gaston Leroux met en scène l'un de ses plus grands personnages : Rouletabille.

Joseph Joséphin, dit Rouletabille, est un jeune reporter parisien qui se trouve mêlé à toutes sortes d'aventures. Amusant et fort spirituel, il parvient à résoudre toutes les énigmes qui se présentent à lui, grâce à son esprit vif et méthodique.

Dans ce roman, Rouletabille se trouve devant un mystère d'une grande complexité : un crime a été commis dans une chambre entièrement close. Mais, comme nous le verrons, aucun problème n'arrête le détective amateur.

Les mots ou expressions suivis d'un astérisque* dans le texte sont expliqués dans le Vocabulaire, page 57.

*L*E 25 OCTOBRE 1892, la note* suivante paraissait en dernière heure du *Temps* : « Un crime horrible vient d'être commis au Glandier, chez le professeur Stangerson. Cette nuit, pendant que le professeur travaillait dans son laboratoire, on a tenté d'assassiner Mlle Stangerson, qui reposait dans une chambre qui se trouve à côté du laboratoire. »

Vous imaginez l'émotion qui s'empara de Paris en apprenant cette nouvelle. Le professeur Stangerson et sa fille étaient déjà très célèbres dans le monde scientifique pour les travaux qu'ils réalisaient sur la radiographie.

Le lendemain, tous les journaux parlaient de ce drame. *Le Matin*, entre autres, publiait une interview* avec un vieux serviteur de la famille Stangerson, le père Jacques.

« ... Le père Jacques est entré dans la « chambre jaune » avec le professeur et a trouvé Mlle Stangerson, en chemise de nuit, gémissant sur le plancher. La chambre et le laboratoire se trouvent dans un pavillon, au fond du parc, à trois cents mètres environ du château.

« Il était minuit et demi, nous a raconté le père Jacques, et je me trouvais dans le laboratoire où travaillait encore M. Stangerson quand l'affaire est arrivée. Mlle Mathilde avait travaillé jusqu'à minuit ; aux douze coups, elle s'était levée, avait embrassé son père, m'avait dit : « Bonsoir, père Jacques ! » et avait poussé la porte de la « chambre jaune ». Nous l'avions entendue qui fermait la porte à clef et poussait le verrou[1].

« Nous étions donc restés, M. Stangerson et moi, dans le pavillon. Tout à coup, alors que sonnait la demie de minuit, un cri désespéré sortit de la « chambre jaune ». C'était mademoiselle qui criait : « À l'assassin ! À l'assassin ! Au secours ! » Aussitôt un coup de revolver retentit et il y eut un grand bruit de tables, de meubles renversés, et encore la voix de mademoiselle qui criait : « À l'assassin !... Au secours !... Papa ! Papa ! »

« M. Stangerson et moi, nous nous sommes précipités sur la porte. Mais, hélas ! elle était fermée et bien fermée de l'intérieur. Nous avons essayé de la faire tomber mais elle était solide. M. Stangerson était comme fou.

« C'est alors que j'ai eu une inspiration. « L'assassin se sera introduit par la fenêtre,

---

1. Verrou : système de fermeture constitué par une pièce de métal que l'on fait glisser horizontalement dans une autre pièce de métal qui sert à la bloquer.

m'écriai-je, je vais à la fenêtre ! » Et je suis sorti du pavillon courant comme un insensé[1] !

« Le malheur était que la fenêtre de la chambre donne sur la campagne. Pour y arriver, il fallait d'abord sortir du parc. Je courus du côté de la grille et, en route, je rencontrai Bernier et sa femme, les concierges, qui venaient attirés par nos cris. Je les mis, en deux mots, au courant de la situation ; je dis au concierge d'aller rejoindre tout de suite M. Stangerson et j'ordonnai à sa femme de venir avec moi pour m'ouvrir la grille du parc. Cinq minutes plus tard, nous étions devant la fenêtre de la « chambre jaune ». Je vis immédiatement qu'on n'avait pas touché à la fenêtre. Non seulement les barreaux étaient intacts, mais encore les volets étaient fermés.

« Nous sommes vite revenus, la concierge et moi, au pavillon. Là, nous trouvâmes M. Stangerson et Bernier en train d'essayer de faire tomber la porte. Je les aidai aussitôt. Elle tomba enfin. En entrant dans la pièce, un triste spectacle apparut à nos yeux. Mademoiselle, dans sa chemise de nuit, était par terre, au milieu d'un désordre incroyable. Tables et chaises avaient été renversées. On avait certainement arraché mademoiselle de son lit ; elle était pleine de sang avec des marques d'ongles terribles au cou et un trou

---

1. Insensé : fou.

à la tempe[1] par lequel coulait un filet de sang qui avait fait une mare[2] sur le plancher. Quand M. Stangerson aperçut sa fille dans un pareil état, il se précipita sur elle en poussant un cri de désespoir. Il constata qu'elle respirait encore et ne s'occupa plus que d'elle. Quant à nous, nous cherchions l'assassin. Mais comment expliquer qu'il n'était pas là, qu'il s'était enfui ?... C'est impossible. Personne sous le lit, personne derrière les meubles, personne ! Nous n'avons retrouvé que ses traces : les marques ensanglantées[3] d'une large main d'homme sur les murs et sur la porte, un grand mouchoir rouge de sang, un vieux béret[4] et, sur le plancher, les traces de nombreux pas d'homme. Par où est-il sorti ? voilà tout le mystère !

« Mais voilà que nous avons découvert, par terre, mon revolver, oui, mon propre revolver... L'homme qui était passé par là était d'abord monté dans mon grenier, m'avait pris mon revolver dans mon tiroir et s'en était servi pour assassiner mademoiselle. Tout de même, j'ai eu de la chance d'être avec M. Stangerson quand l'affaire est arrivée car, avec cette histoire de revolver, je ne sais pas ce qui se serait passé pour moi. »

---

1. Tempe : partie située sur le côté de la tête, entre le coin de l'œil et le haut de l'oreille.
2. Mare : ici, grande quantité de sang répandu.
3. Ensanglanté : couvert de sang.
4. Béret : chapeau de laine rond et plat.

Après l'interview du père Jacques, le rédacteur* du *Matin* ajoutait les lignes* suivantes :

« Nous aurions également voulu interroger les concierges, mais ils sont invisibles. Nous avons attendu, dans une auberge du village, la sortie de M. de Marquet, le juge d'instruction*. À cinq heures et demie, nous l'avons aperçu avec son greffier*. Nous lui avons posé la question suivante :

– Pouvez-vous, M. de Marquet, nous donner quelques renseignements sur cette affaire ?

– Il nous est impossible, nous répondit M. de Marquet, de dire quoi que ce soit. D'autre part, c'est bien l'affaire la plus étrange que je connaisse. Plus nous croyons savoir quelque chose, plus nous ne savons rien ! »

Enfin, en dernière heure, le même journal annonçait que le célèbre inspecteur Frédéric Larsan était chargé de l'enquête.

*L*E LENDEMAIN MATIN, à huit heures, le jeune Rouletabille vint me trouver dans ma chambre. Il lisait l'article* du *Matin*, relatif au crime du Glandier.

J'ai connu Joseph Rouletabille quand il était petit reporter. À cette époque, je débutais comme avocat* et j'avais souvent l'occasion de le rencontrer dans les couloirs des juges d'instruction. Comme je suis avocat criminel et lui, journaliste*, nous nous sommes souvent revus et nous sommes devenus de très bons amis.

Voilà donc Rouletabille dans ma chambre, ce matinlà, 26 octobre 1892. Il agitait *Le Matin* et me cria :

– Eh bien, mon cher Sainclair... Vous avez lu ?...

– Le crime du Glandier ?

– Oui ; la « chambre jaune » ! Qu'est-ce que vous en pensez ?

– Je ne sais pas, je trouve cela bien mystérieux.

Rouletabille s'assit dans un fauteuil, alluma sa pipe qui ne le quittait jamais et dit :

– Si vous voulez m'en croire, cette affaire deviendra de plus en plus mystérieuse. Voilà pourquoi elle m'intéresse. Le juge d'instruction a raison : on n'aura jamais vu quelque chose de plus étrange que ce crime-là...

– Avez-vous quelque idée du chemin que l'assassin a pu prendre pour s'enfuir ? demandai-je.

– Aucune, me répondit Rouletabille, aucune, pour le moment... Mais j'ai déjà mon idée faite sur le revolver, par exemple... Le revolver n'a pas servi à l'assassin...

– Et à qui donc a-t-il servi ?

– Eh bien, mais... à Mlle Stangerson...

– Je ne comprends plus, dis-je.

– La porte fermée avec un verrou prouve que Mlle Stangerson avait peur de quelque chose. C'est d'ailleurs la raison qui l'a poussée à prendre le revolver du père Jacques. Ce qu'elle craignait est arrivé... et elle s'est défendue. Elle s'est servie de son revolver pour blesser l'assassin à la main, ainsi s'explique la marque de la main ensanglantée sur le mur et la porte. Mais elle n'a pas tiré assez vite, ce qui a permis à l'assasin de la blesser à la tempe.

– Ce n'est donc pas le revolver qui a blessé Mlle Stangerson à la tempe ?

– Le journal ne le dit pas, et, quant à moi, je ne le pense pas parce que je suis sûr que le revolver a servi à la jeune femme. Quant à l'arme de l'assassin, je pense que c'est une « arme de silence », une matraque[1], un marteau...

---

1. Matraque : arme constituée par un morceau de bois.

– Tout cela ne nous explique pas, dis-je, comment notre assassin est sorti de la « chambre jaune » !

– Évidemment, répondit Rouletabille en se levant et, comme il faut l'expliquer, je vais au château du Glandier, et je viens vous chercher pour que vous y veniez avec moi...

– Moi !

– Oui, cher ami, j'ai besoin de vous. Mon journal m'a chargé de cette affaire et je veux l'éclaircir au plus vite.

– Mais en quoi puis-je vous servir ?

– M. Robert Darzac est au château du Glandier.

– C'est vrai... il doit être désespéré !

– Il faut que je lui parle... Préparez-vous, nous partons.

Je connaissais M. Robert Darzac depuis quelques années. Il était professeur de physique à la Sorbonne[1]. Très ami des Stangerson, il était sur le point de se marier avec Mathilde.

Pendant que je m'habillais pour sortir, je criai à Rouletabille qui m'attendait dans le salon :

– À votre avis, quel genre de personne est l'assassin ?

– Je crois qu'il est, répondit-il, d'une classe élevée... Ce n'est qu'une impression.

– Et qu'est-ce qui vous la donne, cette impression ?

– Eh bien, le béret, le mouchoir...

– Je comprends, dis-je ; on ne laisse pas tant de traces derrière soi sans raison !

– On fera quelque chose de vous, mon cher Sainclair ! dit Rouletabille.

---

1. Sorbonne : université à Paris.

M. STANGERSON AVAIT ACHETÉ le château du Glandier à son retour d'Amérique, car son isolement au fond des bois lui avait plu tout de suite ; l'endroit était idéal pour poursuivre ses recherches.

M. Stangerson était français, mais d'origine américaine. De très importantes affaires d'héritage l'avaient fixé pendant plusieurs années aux États-Unis. Il avait continué, là-bas, une œuvre commencée en France, et il était revenu en France pour l'achever, après avoir réalisé une grosse fortune.

Sa fille et lui vivaient assez retirés et ne sortaient que pour assister à des réceptions officielles.

À l'âge de trente-cinq ans, Mathilde Stangerson n'était toujours pas mariée. Elle avait eu de nombreux prétendants[1], mais ils avaient tous fini par se lasser de sa froideur. Un seul avait persisté : c'était M. Robert Darzac, mais il semblait bien qu'il n'aurait pas plus de chance que les autres et que Mlle Stangerson resterait célibataire.

---

1. Prétendant : homme qui souhaite épouser une femme.

Soudain, quelques semaines avant les événements qui nous occupent, un bruit se répandit dans Paris, qui fut confirmé par M. Stangerson lui-même un jour qu'il sortait de l'Académie des sciences : Mathilde Stangerson allait épouser M. Robert Darzac, dès que sa fille et lui auraient terminé leur rapport qui devait résumer tous leurs travaux de ces dernières années.

Je donne tous ces détails au lecteur pour qu'en franchissant la porte de la « chambre jaune », il en sache autant que moi sur les Stangerson.

Nous apercevions, Rouletabille et moi, la grille d'entrée du château, quand notre attention fut attirée par un personnage qui semblait tellement préoccupé qu'il ne nous vit pas. Tantôt il se penchait, se couchait presque sur le sol ; tantôt il regardait dans le creux de sa main, puis faisait de grands pas, puis se mettait à courir et regardait encore dans le creux de sa main droite. Rouletabille m'avait arrêté d'un geste :

– Chut ! Frédéric Larsan qui travaille !... Ne le dérangeons pas.

Joseph Rouletabille avait une grande admiration pour le célèbre inspecteur, que tous appelaient, à la Sûreté[1], le grand Fred.

Le grand homme était donc déjà au travail. Nous comprîmes bientôt ce qu'il faisait.

---

1. Sûreté : police.

Ce qu'il ne cessait de regarder dans le creux de sa main droite n'était autre que sa montre et il paraissait fort occupé à compter les minutes. Soudain, il releva la tête et nous vit.

– Monsieur Fred, dit mon jeune ami d'un ton très respectueux, pourriez-vous nous dire si M. Robert Darzac est au château en ce moment ? Voici un de ses amis qui désirerait lui parler.

On entendit alors un bruit de voiture. Nous nous retournâmes et Larsan dit à Rouletabille :

– Tenez ! vous vouliez voir M. Darzac ; le voilà!

Darzac sortit de la voiture et vint me demander la raison de ma présence au château dans un moment si tragique. Je remarquai alors qu'il était très pâle et qu'une grande douleur se lisait sur son visage.

– Mlle Stangerson va-t-elle mieux ? demandai-je immédiatement.

– Oui, fit-il. On la sauvera peut-être. Il faut qu'on la sauve.

Rouletabille intervint alors :

– Monsieur, vous êtes pressé. Il faut cependant que je vous parle. J'ai quelque chose de la dernière importance à vous dire.

Frédéric Larsan interrompit :

– Je dois vous laisser.

Et il s'éloigna.

Je présentai mon ami à Robert Darzac. Mais dès qu'il sut qu'il était journaliste, il me regarda d'un air de reproche, nous salua et s'apprêtait à partir quand Rouletabille lui dit cette étrange phrase :

Le presbytère n'a rien perdu de son charme ni le jardin de son éclat.

Ces mots furent à peine sortis de la bouche de Rouletabille que je vis Robert Darzac, qui était déjà très pâle, pâlir encore plus.

Il prit le bras du jeune reporter et s'éloigna de moi en disant :

– Allons ! monsieur ! Allons !

Je voulus les suivre mais Rouletabille me fit signe de n'en rien faire, puis je les vis entrer dans le château.

Je me promenai pendant vingt minutes environ devant le château, me demandant ce que signifiait la phrase insensée qu'avait prononcée Rouletabille.

À ce moment, le jeune homme sortit du château avec M. Darzac. Je vis au premier coup d'œil qu'ils étaient les meilleurs amis du monde.

Nous nous dirigeâmes tous les trois vers le pavillon. Avant de monter les trois marches qui mènent à la porte, Rouletabille nous arrêta et demanda à brûle-pourpoint[1] à M. Darzac :

– Eh bien, et le mobile[2] du crime ?

---

1. Brûle-pourpoint (à) : brusquement.
2. Mobile : cause, motif.

– Je n'en sais rien, monsieur. Les médecins qui ont examiné hier les traces de doigts sur le cou de Mlle Stangerson affirment qu'elles ont été faites par la même main dont l'image ensanglantée est restée sur le mur.

– Cette main rouge, demandai-je, ne pourrait donc pas être la trace des doigts ensanglantés de Mlle Stangerson ?

– Il n'y avait pas une goutte de sang aux mains de Mlle Stangerson quand on l'a relevée, répondit M. Darzac.

– On est donc sûr, fis-je, que c'est bien Mlle Stangerson qui s'était armée du revolver puisqu'elle a blessé la main de l'assassin. *Elle avait donc peur de quelque chose ou de quelqu'un.*

– C'est probable...

– Vous ne soupçonnez personne ?

– Non, répondit Darzac, en regardant Rouletabille.

Rouletabille alors me dit :

– Il faut que vous sachiez, mon ami, que l'enquête est un peu plus avancée qu'on ne le pense. Non seulement on sait que le revolver fut l'arme dont s'est servie, pour se défendre, Mlle Stangerson, mais on connaît aussi l'arme qui a servi à attaquer et à frapper Mlle Stangerson. C'est, m'a dit M. Darzac, un os de mouton.

– On a donc trouvé un os de mouton dans la « chambre jaune » ?

– Oui, monsieur, fit Robert Darzac, au pied du lit.

– Un os de mouton dans la main d'un assassin est une arme effroyable, dit Rouletabille, une arme plus utile et plus sûre qu'un lourd marteau.

Sur ce, M. Darzac frappa à la porte du pavillon. Quelques minutes plus tard un homme, que je reconnus pour être le père Jacques, ouvrit.

– Des amis, fit simplement M. Darzac. Il n'y a personne au pavillon, père Jacques ?

– Je ne dois laisser entrer personne, monsieur Robert, mais bien sûr la consigne[1] n'est pas pour vous...

– Pardon, monsieur Jacques, une question à vous poser, fit Rouletabille.

– Dites, jeune homme, et, si je puis y répondre...

– Votre maîtresse portait-elle, ce soir-là, les cheveux en bandeaux[2] sur le front ?

– Non, mon petit monsieur. Ma maîtresse n'a jamais porté les cheveux en bandeaux comme vous dites, ni ce soir-là, ni les autres jours.

Rouletabille grogna et se mit à inspecter le pavillon. Il pénétra alors dans le laboratoire. C'est, je l'avoue, avec une forte émotion que je l'y suivis. Robert Darzac ne perdait pas un geste de mon ami...

---

1. Consigne : ordre.
2. En bandeaux : cheveux longs peignés de façon à cacher le front.

Tout un côté du laboratoire était occupé par une vaste cheminée, par des fours destinés à diverses expériences de chimie. Et tout le long des murs, il y avait des armoires ou des armoires-vitrines qui laissaient apercevoir des microscopes, des appareils photographiques spéciaux...

Rouletabille avait le nez fourré dans la cheminée. Du bout des doigts, il fouillait dans les cendres... Tout à coup, il se redressa, tenant un petit morceau de papier à moitié consumé[1]... Il vint à nous qui causions près d'une fenêtre et il dit :

– Gardez cela, monsieur Darzac.

Je me penchai sur le bout de papier que M. Darzac venait de prendre, et je lus ces seuls mots qui restaient lisibles :

presbytère   rien perdu   charme,
ni le jar   de son éclat

Et au-dessus : « 23 octobre ».

Deux fois, depuis ce matin, ces mêmes mots insensés venaient me frapper, et, pour la deuxième fois, je vis qu'ils produisaient sur M. Darzac le même effet foudroyant... Il ouvrit son portefeuille en tremblant, y mit le papier, et soupira : « Mon Dieu ! »

Rouletabille se plaça alors devant la porte de

1. Consumé : brûlé.

la « chambre jaune ».

– Voilà la porte derrière laquelle il se passait quelque chose ! fit Rouletabille.

Puis il poussa la porte. Les volets étaient ouverts et le jour livide[1] éclairait un désordre sinistre, entre des murs de couleur jaune paille.

La table ronde du milieu, la table de nuit et deux chaises étaient renversées. Elles n'empêchaient pas de voir, sur le tapis, une large tache de sang qui provenait, nous dit le père Jacques, de la blessure au front de Mlle Stangerson. En plus, des gouttelettes de sang étaient répandues un peu partout et suivaient, en quelque sorte, la trace visible des pas de l'assassin. Tout faisait penser que ces gouttes de sang venaient de la blessure de l'homme qui avait, un moment, posé sa main rouge sur le mur.

– Quelle drôle de main ! dis-je en regardant la trace.

– C'est une main fort naturelle, répliqua Rouletabille, dont le dessin a été déformé *par le glissement sur le mur*. L'homme *a essuyé sa main blessée sur le mur !*

Mon ami examina alors attentivement la porte et les verrous. Puis, s'asseyant par terre, il se déchaussa rapidement.

Il se releva et, en chaussettes, commença à

---

1. Livide : pâle.

s'avancer dans la chambre. La première chose qu'il fit fut de se pencher sur les meubles renversés et de les examiner avec soin. Nous le regardions en silence. Le père Jacques lui disait de plus en plus ironique :

– Oh ! mon petit ! Oh ! mon petit ! vous vous donnez bien du mal !...

Mais Rouletabille redressa la tête :

– Vous avez dit la pure vérité, père Jacques, votre maîtresse n'avait pas, ce soir-là, ses cheveux en bandeaux ; c'est moi qui étais un sot de croire cela !...

Et, souple comme un serpent, il se glissa sous le lit.

– Et dire, monsieur, et dire que l'assassin était caché là-dessous ! Il y était quand je suis entré à dix heures, pour fermer les volets et allumer la lampe, puisque ni M. Stangerson, ni Mlle Mathilde, ni moi, n'avons plus quitté le laboratoire jusqu'au moment du crime.

On entendait la voix de Rouletabille, sous le lit :

– Monsieur Jacques, à quelle heure M. et Mlle Stangerson sont-ils arrivés dans le laboratoire pour ne plus le quitter ?

– À six heures ! Enfin, Mlle Mathilde, car M. Stangerson est resté parler un moment à la porte du pavillon avec le jardinier.

La voix de Rouletabille continuait :

– Oui, il est venu là-dessous... c'est certain...
Du reste, il n'y a que là qu'il pouvait se cacher...
Quand vous êtes entrés, tous les quatre, vous
avez regardé sous le lit ?

– Tout de suite... Il n'y avait personne.

Rouletabille resta encore un long moment
sous le lit, puis il remit ses chaussures et examina de nouveau la chambre. Il se retourna ensuite
vers la fenêtre et, montrant au père Jacques
Frédéric Larsan qui n'avait pas quitté les bords
de l'étang, il voulut savoir si le policier était venu,
lui aussi, travailler dans la « chambre jaune ».

– Non ! répondit M. Darzac qui n'avait pas
encore prononcé un mot depuis que nous étions
dans la chambre. Il prétend qu'il n'a pas besoin de
voir la chambre pour connaître le criminel.

– Frédéric Larsan posséderait-il la vérité que je
commence à pressentir ? murmura Rouletabille.

Et le jeune reporter sortit rapidement du pavillon. Je courus derrière lui.

– Que vous arrive-t-il ? lui demandai-je.

– Rien, j'ai vu tout ce qu'il y avait à voir et j'ai
découvert bien des choses.

– Quelles choses ?

– Ceci, par exemple, me dit-il en sortant de sa
poche un papier qui contenait un *cheveu blond
de femme*.

*C*ET APRÈS-MIDI-LÀ, dans le laboratoire du professeur Stangerson, eut lieu l'interrogatoire[1] des intéressés. Tout le monde était là sauf Mlle Stangerson qui avait besoin de beaucoup de repos pour se remettre de ses blessures. Je n'y assistai pas mais je pus lire le récit écrit par M. Madeleine, le greffier. Voici ce qu'il écrivit :

« Depuis une heure, nous interrogions M. Stangerson sans rien apprendre de nouveau. M. Dax, le chef de la Sûreté, avait jusqu'alors uniquement écouté et examiné les lieux. Il finit par dire :

– Il faudrait, en attendant que l'on trouve le criminel, découvrir le mobile du crime. Cela nous avancerait un peu.

Puis, s'adressant à M. Stangerson, il ajouta :

– Mlle Stangerson ne devait-elle pas se marier prochainement ?

Le professeur regarda douloureusement M. Robert Darzac...

– Avec mon ami, que j'aurais été heureux d'ap-

---

1. Interrogatoire : ensemble de questions posées par un magistrat pour éclairer les points d'une affaire.

peler mon fils... avec M. Robert Darzac.

– Mlle Stangerson va beaucoup mieux et se remettra rapidement de ses blessures. C'est un mariage simplement retardé, n'est-ce pas, monsieur ? insista le chef de la Sûreté.

– Je l'espère.

– Comment ! Vous n'en êtes pas sûr ?

M. Stangerson se tut. Puis, avec un soupir, il finit par dire :

– Il vaut mieux que vous sachiez une chose qui semblerait avoir de l'importance si je vous la cachais. M. Darzac sera, du reste, de mon avis.

M. Darzac, dont la pâleur, à ce moment, me parut tout à fait anormale, fit signe qu'il était de l'avis du professeur.

– Sachez donc, monsieur le chef de la Sûreté, continua M. Stangerson, que, deux jours avant le crime, ma fille m'a déclaré qu'elle n'épouserait pas M. Robert Darzac.

Il y eut un silence pesant. La minute était grave. M. Dax reprit :

– Et Mlle Stangerson ne vous a donné aucune explication, ne vous a point dit pour quelle raison ?...

– Elle m'a dit qu'elle était trop vieille maintenant pour se marier... qu'elle avait attendu trop longtemps... qu'elle avait bien réfléchi... qu'elle aimait M. Robert Darzac... mais qu'il valait mieux que les choses en restent là...

– Voilà qui est étrange ! murmura M. Dax.

M. Stangerson, avec un pâle sourire, dit :

– Ce n'est pas de ce côté, monsieur, que vous trouverez le mobile du crime.

M. Dax reprit d'un ton sec :

– En tout cas, le mobile n'est pas le vol !

– Oh ! nous sommes sûrs que non ! s'écria le juge d'instruction.

À ce moment la porte du laboratoire s'ouvrit et un gendarme apporta une carte au juge d'instruction. M. de Marquet lut et poussa une exclamation ; puis :

– Ah ! voilà qui est trop fort !

– Qu'est-ce ? demanda le chef de la Sûreté.

– La carte d'un petit reporter de *L'Époque*, M. Joseph Rouletabille, et ces mots : « l'un des mobiles du crime a été le vol ! »

Le chef de la Sûreté sourit :

– Ah ! Ah ! le jeune Rouletabille... j'en ai déjà entendu parler... on le dit malin... Faites-le donc entrer, monsieur le juge d'instruction.

M. Rouletabille entra donc dans le laboratoire, nous salua et attendit que M. de Marquet lui demande de s'expliquer.

– Vous prétendez, monsieur, dit celui-ci, que vous connaissez le mobile du crime, et que ce mobile serait le vol ?

– Non, monsieur le juge d'instruction, ce que je dis c'est que le vol est *l'un des mobiles du crime*.

– Mais qu'a-t-on volé ? demanda le chef de la Sûreté ?

– Des choses extrêmement précieuses, répondit le reporter. Il ne vous manque rien, M. Stangerson ?

Le professeur fouilla dans son laboratoire sans rien trouver d'étrange. Il ouvrit alors une sorte de meuble-bibliothèque et poussa un horrible cri. Nous nous précipitâmes vers lui et nous vîmes que le meuble était vide.

M. Stangerson se laissa tomber dans un fauteuil et gémit :

– Comment a-t-il pu me faire ça !...

Et puis, une larme, une lourde larme, coula sur sa joue :

– Surtout, dit-il, qu'on ne dise rien à ma fille... Elle serait encore plus peinée que moi.

– Mais qu'y avait-il dans ce meuble ? demanda M. Dax.

– Vingt ans de ma vie, répondit sourdement le célèbre professeur. Tous nos travaux, nos expériences, tout était rangé là. L'homme qui est venu là m'aura tout pris... ma fille et mon œuvre... mon cœur et mon âme...

Et le grand Stangerson se mit à pleurer comme un enfant.

– Qui avait la garde ordinaire de la clef de ce meuble ? demanda M. Dax.

– Ma fille, répondit M. Stangerson. Et cette clef ne la quittait jamais.

– Malheureusement, on la lui a volée, ajouta M. Rouletabille.

– Mais comment avez-vous deviné tout cela ? demanda le juge d'instruction.

Rouletabille sortit alors de sa poche un numéro de *L'Époque* daté du 21 octobre, et, nous montrant une annonce*, il lut :

– « Il a été perdu hier un réticule[1] de satin noir dans les grands magasins de la Louve. Ce réticule contenait une petite clef. Il sera donné une forte récompense à la personne qui l'aura trouvée. Cette personne devra écrire poste restante, au bureau quarante, à cette adresse " M. A. T. H. S. N. ". » Je lis toujours les annonces, continua le reporter. Cette annonce m'avait particulièrement frappé. Comme cette personne tenait à cette clef ! Et je songeai à ces six lettres... Les quatre premières m'indiquèrent tout de suite un prénom : « Mathilde », évidemment, mais je ne pus rien faire des deux dernières lettres. Lorsque, quatre jours plus tard, je lus le nom de Mathilde Stangerson dans le journal, je me souvins des lettres de l'annonce et je compris aussitôt que les deux dernières « S. N. » voulaient dire « Stangerson ».

« Je sautai dans un fiacre[2] et me précipitai au

---

1. Réticule : petit sac.
2. Fiacre : voiture à cheval.

bureau 40. Je demandai à l'employé s'il avait une lettre avec les initiales de l'annonce et il me répondit qu'il avait en effet eu une lettre à cette adresse, mais qu'une dame était venue la prendre trois jours avant.

Rouletabille se tut. Nous nous taisions tous.

Enfin, le chef de Sûreté demanda à M. Stangerson si sa fille était allée seule à Paris le 20 octobre. Nous apprîmes ainsi qu'elle s'était rendue dans la capitale, « accompagnée de M. Robert Darzac », que l'on n'avait pas revu depuis cet instant jusqu'au lendemain du crime. Le fait que M. Darzac était aux côtés de Mlle Stangerson, quand le réticule avait disparu, ne pouvait passer inaperçu et retint, il faut le dire, assez fortement notre attention.

J'arrête ici la narration du greffier. Je n'ai pas besoin de dire au lecteur que tout ce qui venait de se passer dans le laboratoire me fut fidèlement et aussitôt rapporté par Rouletabille lui-même.

J E NE ME DISPOSAI À QUITTER LE CHÂTEAU que vers six heures du soir, emportant l'article que Rouletabille avait rédigé* dans un petit salon du château. Le reporter devait coucher une nuit au Glandier. Il voulut m'accompagner jusqu'à la gare. Comme nous sortions du château, nous rencontrâmes Larsan. Il nous demanda où nous allions et quand il sut que nous nous rendions à la gare, il nous dit qu'il y allait aussi. Nous nous mîmes en route ensemble. Comme nous arrivions à la grille du parc, il nous arrêta :

– Ma canne ! s'écria-t-il...

– Vous avez oublié votre canne ? demanda Rouletabille.

– Oui, répondit le policier... Je l'ai laissée là-bas, près de l'arbre...

Et il nous quitta, disant qu'il allait nous rejoindre tout de suite...

– Avez-vous remarqué la canne de Frédéric Larsan ? demanda le reporter quand nous fûmes seuls. C'est une canne toute neuve que je ne lui ai jamais vue... Il a l'air d'y tenir beaucoup... On dirait qu'il a peur qu'elle ne soit tombée dans des mains étrangères... Avant ce jour, *je n'ai jamais vu de canne à Frédéric Larsan... Ça n'est pas naturel qu'un homme qui ne porte jamais de canne ne fasse plus un pas sans canne, au lendemain du crime du Glandier...*

À la gare, il fallut attendre le train vingt minutes ; nous entrâmes dans un café. Presque aussitôt, derrière nous la porte se rouvrait et Frédéric Larsan faisait son apparition, brandissant la fameuse canne...

– Je l'ai retrouvée ! nous fit-il en riant.

Tous trois nous nous assîmes à une table. Rouletabille ne quittait pas la canne des yeux.

– Ah ! ça ! monsieur Fred ! dit-il, depuis quand avez-vous donc une canne ?... Je vous ai toujours vu vous promener les mains dans les poches !...

– C'est un cadeau qu'on m'a fait la semaine dernière, à Londres, où j'étais pour affaires.

– On peut la voir, votre canne ?

– Mais, naturellement.

Fred passa la canne à Rouletabille. Rouletabille l'examina minutieusement.

– Eh bien, fit-il en relevant la tête, on vous a offert à Londres une canne de France.

– C'est possible, fit Fred, imperturbable...

– Lisez la marque, ici : Cassette, 6 bis, Opéra.

Rouletabille rendit la canne. Quand il m'eut mis dans mon compartiment, il me dit :

– Vous avez retenu l'adresse ?

– Oui, comptez sur moi, vous recevrez un mot demain matin.

Le soir même en effet, à Paris, je voyais M. Cassette, marchand de cannes, et j'écrivais à mon ami :

« Un homme, répondant au signalement de M. Robert Darzac, est venu acheter une canne pareille à celle qui nous intéresse le jour même du crime. M. Cassette n'en a point vendu de semblable depuis deux ans. La canne de Fred est neuve. Il s'agit donc de ce qu'il a entre les mains. Je pense qu'il l'a vue dans les mains de M. Darzac et qu'il la lui a prise pendant un moment d'inattention de celui-ci... Pour lui, elle signifie peut-être une preuve contre M. Darzac... »

*H*UIT JOURS APRÈS LES ÉVÉNEMENTS que je viens de raconter, exactement le 2 novembre, Rouletabille entrait dans ma chambre, vêtu d'un costume à carreaux, avec une casquette sur la tête et un sac de voyage à la main. Il m'apprit qu'il partait en voyage.

– Combien de temps serez-vous parti ?

– Je ne sais pas, cela dépend... mais je reviendrai avant le jugement. Il le faut.

M. Robert Darzac venait en effet d'être arrêté, trop de soupçons pesaient sur lui et il allait être jugé* le plus rapidement possible.

– Vous êtes persuadé de l'innocence de M. Darzac ?

– J'ai cru un instant à la possibilité de sa culpabilité. Ce fut au moment même où nous arrivions au château du Glandier. Le moment est venu de vous raconter ce qui s'est passé là-bas entre lui et moi. Vous vous rappelez cette phrase, le « Sésame, ouvre-toi ! » de ce château plein de mystère ?

– Oui, dis-je, parfaitement : *Le presbytère n'a rien perdu de son charme, ni le jardin de son éclat.* C'est encore cette phrase, cette fois à moitié brûlée, que vous avez retrouvée sur un papier dans la cheminée du laboratoire.

– Oui, et, en bas de ce papier, la flamme avait respecté cette date : 23 octobre. Je vais vous dire maintenant ce qu'il en est de cette phrase saugrenue[1]. Je ne sais pas si vous savez que, l'avant-veille du crime, c'est-à-dire le 23, M. et Mlle Stangerson sont allés à une réception à l'Élysée[2]. J'y étais, moi, par devoir professionnel. Je vis soudain apparaître une belle dame accompagnée d'un vieil homme qui lui donnait le bras. Chacun se détournait sur leur passage, et j'entendis que l'on murmurait « c'est le professeur Stangerson et sa fille ! ». Ils rencontrèrent M. Darzac, que je connaissais de vue. Mlle Stangerson sortit dans le jardin avec lui. Je les suivis discrètement. Ils s'arrêtèrent sous un bec de gaz[3] et se penchèrent sur un papier que tenait Mlle Stangerson. Je m'arrêtai moi aussi et j'entendis Mlle Stangerson qui disait en repliant le papier : *Le presbytère n'a rien perdu de son charme, ni le jardin de son éclat !* et elle se mit à rire nerveusement. Mais une autre phrase fut encore prononcée, celle-ci par M. Darzac : « Me

---

1. Saugrenu : bizarre.
2. Élysée : palais, situé à Paris ; résidence du président de la République française depuis 1873.
3. Bec de gaz : réverbère.

faudra-t-il donc, pour vous avoir, commettre un crime ? » M. Darzac semblait très nerveux. Il prit la main de Mlle Stangerson, la porta longuement à ses lèvres et je pensai, au mouvement de ses épaules, qu'il pleurait. Puis ils s'éloignèrent. Je n'eus plus l'occasion d'être près d'eux de toute la soirée.

« Quand j'arrivai au château du Glandier, j'avais besoin que M. Darzac me prouve tout de suite qu'il n'était pas blessé à la main pour croire en son innocence. Quand nous fûmes seuls, tous les deux, je lui dis ce que j'avais entendu dans les jardins de l'Élysée. Il fut très troublé. Je lui demandai alors : « vous deviez vous marier, monsieur, et, tout d'un coup, *ce mariage devient impossible à cause de l'auteur de cette lettre,* puisque, dès la lecture de la lettre, vous parlez d'un crime nécessaire pour avoir Mlle Stangerson. IL Y A DONC QUELQU'UN ENTRE VOUS ET MLLE STANGERSON, QUEL-QU'UN QUI LUI DÉFEND DE SE MARIER, QUELQU'UN QUI LA TUE AVANT QU'ELLE NE SE MARIE ! Maintenant, monsieur, vous n'avez plus qu'à me dire le nom de l'assassin.

– Monsieur, me dit M. Darzac qui était très pâle, je vais vous demander une chose : il ne faut parler à personne de ce que vous avez entendu dans les jardins de l'Élysée. Je vous jure que je suis innocent et je sais que vous me croyez mais, je vous en supplie, oubliez cette phrase. Il y aura pour vous cent autres chemins que celui-là qui vous conduiront à la découverte de l'assassin, je vous aiderai, mais surtout, oubliez *la soirée de l'Élysée.* »

Rouletabille, son récit fini, ajouta :

– Je crois vraiment en l'innocence de cet homme et je vais le prouver.

Sur ce, il me quitta. Je ne devais plus le revoir qu'en cour d'assises*, au moment du procès* Darzac, lorsqu'il vint à la barre* « expliquer l'inexplicable ».

*L*E 15 JANVIER SUIVANT, c'est-à-dire deux mois et demi après les événements que je viens de rapporter, eut lieu le procès de M. Darzac.

La lecture de l'acte d'accusation* s'accomplit comme presque toujours, sans incident. Je ne raconterai pas ici le long interrogatoire que subit M. Darzac. Il répondit à la fois de la façon la plus naturelle et la plus mystérieuse. « Tout ce qu'il pouvait dire » parut naturel, tout ce qu'il tut parut terrible pour lui, même aux yeux de ceux qui « sentaient » son innocence.

Frédéric Larsan fut introduit. Il s'expliqua fort nettement et tout ce qu'il dit accusait fortement M. Darzac.

Tout à coup, du fond du « public debout » une voix jeune s'éleva qui dit :

– Je ne partage pas du tout l'avis de Frédéric Larsan.

Tout le monde se retourna. Le président demanda avec irritation qui avait élevé la voix et ordonna l'expulsion immédiate de l'intrus ; mais on entendit à nouveau la même voix qui disait :

– C'est moi, monsieur le président, c'est moi, Joseph Rouletabille !

Il y eut un remous[1] terrible. Tout le monde voulait voir Joseph Rouletabille. Le président cria qu'il allait faire évacuer la salle, mais personne ne l'entendit. Pendant ce temps, Rouletabille se faisait un chemin à grands coups de coude et parvint jusqu'à la barre des témoins*. Et il dit :

– Je demande pardon, monsieur le président, le bateau a eu du retard ! J'arrive d'Amérique. Je suis Joseph Rouletabille !...

On éclata de rire. Tout le monde était heureux de l'arrivée du jeune homme.

Mais le président était furieux :

– Ah ! vous êtes Joseph Rouletabille, dit-il, eh bien, je vais vous apprendre à vous moquer de la justice...

Mais maître* Henri-Robert, l'avocat de M. Robert Darzac, intervint. Il commença par excuser le jeune homme et fit comprendre au président qu'on pouvait difficilement se passer de la déposition* d'un témoin qui, il le savait, prétendait prouver l'innocence de l'accusé* et apporter le nom de l'assassin.

– Vous allez nous dire le nom de l'assassin ? demanda le président, sceptique[2].

---

1. Remous : mouvement confus d'une foule.
2. Sceptique : qui ne croit pas vraiment ce qu'on vient de lui dire.

– Mais, mon président, je ne suis venu que pour ça ! dit Rouletabille.

– Je vous écoute, dit le président d'un ton sec.

Rouletabille fouilla tranquillement dans sa poche, en tira une énorme montre, y regarda l'heure et dit :

– Monsieur le président, je ne pourrai vous dire le nom de l'assassin qu'à six heures et demie ! *Nous avons encore quatre bonnes heures devant nous !*

– Cette plaisanterie a assez duré, dit le président. Vous pouvez vous retirer, monsieur, dans la salle des témoins. Je vous garde à notre disposition.

Rouletabille protesta :

– Je vous affirme, monsieur le président, dit-il, que je vais vous dire le nom de l'assassin...

– Parfait, fit le président irrité, nous vous attendons à six heures trente. En attendant, laissez-nous poursuivre tranquillement ce procès.

∗ ∗ ∗

Quand six heures et demie sonnèrent, Joseph Rouletabille fut à nouveau introduit.

– Voyons, fit le président, il est six heures trente-cinq, monsieur Rouletabille, et nous ne savons encore rien ! Parlez, dites-nous quel est le nom de l'assassin !

Il y eut un court silence puis Rouletabille dit d'une voix triomphante :

– Frédéric Larsan !

Et, se retournant vers le public qui faisait déjà entendre des protestations, il lui lança ces mots avec une force incroyable :

– Frédéric Larsan, l'assassin !

Une clameur où s'exprimaient la consternation, l'indignation et l'incrédulité[1] remplit la salle. Le président n'essaya même pas de la calmer. Cependant, on entendit distinctement Robert Darzac, qui, se laissant retomber sur son banc, disait :

– C'est impossible ! Il est fou !...

Le président :

– Vous osez, monsieur, accuser Frédéric Larsan ! Voyez l'effet d'une pareille accusation... M. Robert Darzac lui-même vous traite de fou !... Si vous ne l'êtes pas, vous devez avoir des preuves...

– Des preuves, monsieur ! Vous voulez des preuves ! Ah ! je vais vous en donner une, de preuve... dit Rouletabille d'une voix aiguë... Qu'on fasse venir Frédéric Larsan !...

Le président :

– Huissier*, appelez Frédéric Larsan.

L'huissier courut à la petite porte, l'ouvrit, dis-

---

1. Incrédulité : doute.

parut... La petite porte était restée ouverte... Tous les yeux étaient sur cette porte. L'huissier réapparut et dit :

– Monsieur le président, Frédéric Larsan n'est pas là. Il est parti vers quatre heures et on ne l'a plus revu.

Rouletabille cria, triomphant :

– Ma preuve, la voilà !

– Expliquez-vous... Quelle preuve ? demanda le président.

– Ma preuve irréfutable[1], fit le jeune reporter, ne voyez-vous pas que c'est la fuite de Larsan ? Je vous jure que vous ne le reverrez plus...

– Si vous ne vous moquez pas de la justice, pourquoi, monsieur, n'avez-vous pas profité de ce que Larsan était ici pour l'accuser en face ? Au moins, il aurait pu vous répondre !...

– J'accuse Larsan d'être l'assassin et *il se sauve* ! Vous trouvez que ce n'est pas une réponse, ça !...

– Nous ne croyons pas que Larsan, comme vous dites, se soit sauvé... Il ne savait pas que vous alliez l'accuser !

– Si, monsieur, il le savait, puisque je le lui ai appris moi-même, tout à l'heure...

– Vous avez fait cela !... Vous croyez que Larsan est l'assassin et vous lui donnez les

---

1. Irréfutable : indiscutable.

moyens de fuir !...

– Oui, monsieur le président, j'ai fait cela, répliqua Rouletabille avec orgueil... Je ne suis pas de la « justice », moi ; je ne suis pas de la « police », moi ; je suis un simple journaliste et mon métier n'est pas de faire arrêter les gens !... Vous ne retrouverez pas Frédéric Larsan... il est trop malin... S'il est moins fort que moi, il est plus fort que toutes les polices de la terre. Cet homme, qui, depuis quatre ans, s'est introduit à la Sûreté, et y est devenu célèbre sous le nom de Frédéric Larsan, est autrement célèbre sous un autre nom que vous connaissez bien. Frédéric Larsan, monsieur le président, c'est *Ballmeyer !*

– Ballmeyer ! s'écria le président.

– Ballmeyer ! fit Robert Darzac, en se soulevant... Ballmeyer !... C'était donc vrai !

– Ah ! Ah ! monsieur Darzac, vous ne croyez plus que je suis fou, maintenant !...

Ballmeyer ! Ballmeyer ! On n'entendait plus que ce nom dans la salle. Le président suspendit l'audience* et avec raison, car l'émotion était grande. Ballmeyer, ce criminel dont on entendait parler depuis vingt ans et que l'on croyait mort, était donc bien vivant ! et c'était lui qui avait tenté d'assassiner Mlle Stangerson. Mais pourquoi ?...

* * *

Quand l'audience reprit, Rouletabille fut immédiatement rappelé à la barre.

– Mais qu'est-ce que Larsan, lui demanda le président, venait faire dans la « chambre jaune » ? Pourquoi a-t-il tenté d'assassiner Mlle Stangerson ?

– Parce qu'il l'adorait, monsieur le président... Il était amoureux fou... et, à cause de cela, et de bien d'autres choses, il était capable de tous les crimes.

– Mlle Stangerson le savait ?

– Oui, monsieur, mais elle ignorait, naturellement, que celui qui la poursuivait ainsi était Frédéric Larsan.

– Et vous, monsieur Darzac ? demanda le président... vous saviez quelque chose à ce sujet ? Pourquoi Mlle Stangerson n'a jamais parlé à personne de cet homme qui la poursuivait ? Cela aurait aidé la justice et aurait évité de vous accuser !

– Mlle Stangerson ne m'a rien dit, répondit M. Darzac.

– Monsieur Rouletabille, demanda le président, comment expliquez-vous que l'assassin se soit introduit dans la chambre fermée de Mlle Stangerson ?

– Il est facile de répondre à cette question. Larsan-Ballmeyer, qui était bien décidé à empêcher le mariage de Mlle Stangerson avec M. Darzac, l'espionnait continuellement. Un jour, il les suit tous les deux dans les grands magasins de la Louve et s'empare du réticule. Il trouve la clef et comprend, en lisant l'annonce dans les journaux, que c'est quelque chose d'important. Il écrit à Mlle Stangerson poste restante. Il demande sans doute un rendez-vous en faisant savoir que celui qui a le réticule et la clef est celui qui la poursuit de son amour. Il ne reçoit pas de réponse, donc, pas de rendez-vous. Eh bien, puisque Mlle Stangerson ne vient pas à lui, il ira à elle ! Depuis longtemps son plan est fait. Il sait tout sur le Glandier. Un après-midi, alors que M. et Mlle Stangerson viennent de sortir faire une promenade, il entre dans le pavillon par une fenêtre du couloir. Il va dans le laboratoire, essaie la clef dans la serrure de différents meubles et parvient ainsi à ouvrir l'armoire des papiers. Il vole les papiers... cela peut toujours servir à un petit chantage[1]... et décide d'en finir avec Mlle Stangerson. Nous arrivons à l'explication du mystère de la « chambre jaune » !

Il y eut de nouveau dans la salle un grand remous. Le président dut demander le silence pour que Rouletabille puisse continuer.

– *La chambre jaune était close comme un coffre-fort,* poursuivit Rouletabille. Depuis le

---

1. Chantage : action d'exiger quelque chose de quelqu'un s'il veut récupérer une chose importante qui lui appartient et qu'on lui a prise.

moment où Mlle Stangerson s'est enfermée dans sa chambre jusqu'au moment où l'on a défoncé la porte, il est impossible que l'assassin se soit échappé de cette chambre ; *cela signifie qu'à ce moment-là il n'était pas dans la chambre !* L'assassin était donc venu *avant !* Mais comment Mlle Stangerson n'avait-elle été assassinée qu'après ? Je réfléchis longuement à cette affaire et je compris qu'il me fallait naturellement la reconstituer en deux phases : la première pendant laquelle on avait réellement tenté d'assassiner Mlle Stangerson, tentative dont elle n'avait parlé à personne ; la seconde pendant laquelle, à la suite d'un cauchemar qu'elle avait eu, ceux qui étaient dans le laboratoire avaient cru qu'on l'assassinait !

« Quelles étaient les blessures de Mlle Stangerson ? Des marques de strangulation[1] et un coup formidable à la tempe... Les marques de strangulation ne me gênaient pas. Elles pouvaient avoir été faites « avant » et Mlle Stangerson les avaient dissimulées sous un col, une écharpe... jusqu'au moment d'aller se coucher. Mais il y avait le coup formidable à la tempe ! Ça, je ne le comprenais pas ! Surtout quand j'appris que l'on avait trouvé dans la chambre un os de mouton, arme du crime... Elle ne pouvait avoir dissimulé qu'on l'avait assom-

---

1. Strangulation : le fait d'étrangler quelqu'un.

mée ; cependant cette blessure devait avoir été faite pendant la première phase puisqu'elle nécessitait la présence de l'assassin ! J'imaginai que cette blessure était beaucoup moins forte qu'on ne le disait – en quoi j'avais tort– et je pensai que Mlle Stangerson l'avait cachée *sous une coiffure en bandeaux!*

« Quant à la marque, sur le mur, de la main de l'assassin blessée par le revolver de Mlle Stangerson, cette marque avait été faite évidemment « avant » et l'assassin avait été nécessairement blessé pendant la première phase. L'os de mouton, le béret, le mouchoir, le sang sur le mur, sur la porte et par terre... De toute évidence, si ces traces étaient encore là, c'est que Mlle Stangerson, qui voulait que son père ne sache rien de ce qui s'était passé, n'avait pas encore eu le temps de les faire disparaître.

« Après, donc, cette première phase, elle n'est entrée dans sa chambre qu'à minuit.

« Maintenant, venons-en à la deuxième phase. Mlle Stangerson, épuisée, se couche et s'endort. Soudain, du laboratoire, on entend un grand bruit de meubles renversés... J'imagine ceci : Mlle Stangerson, troublée par ce qui s'est passé entre elle et l'assassin l'après-midi, rêve... elle revoit l'homme qui se précipite sur elle, elle crie : À l'assassin ! Au secours ! et d'un geste peu sûr elle cherche le revolver qu'elle a posé, avant de se coucher, sur sa table de nuit. Mais sa main heurte la table de nuit avec une telle force qu'elle la renverse. Le revolver roule par terre, un coup part... Mlle Stangerson, dans un état affreux, est réveillée ; elle essaie de se lever ; elle roule par terre, sans force, renversant les meubles, gémissant même... À l'assassin ! Au secours ! et elle s'évanouit...

« Voilà comment les choses se sont passées dans la deuxième phase ! Un seul point me manquait pour éclairer ce mystère. Il devenait évident que la blessure à la tempe s'était faite pendant la deuxième phase, et non pendant la première comme je le croyais au début, mais comment ? »

Rouletabille tira alors de sa poche un papier blanc qu'il déplia délicatement. Il en sortit un objet invisible qu'il tint entre le pouce et l'index et qu'il porta au président :

– Ceci, monsieur le président, est un cheveu blond taché de sang, un cheveu de Mlle Stangerson... Je l'ai trouvé dans la « chambre jaune », collé à l'un des coins de la table de nuit renversée... Ce coin était lui-même taché de sang. Les médecins avaient déclaré que Mlle Stangerson avait été assommée avec un objet *contondant*[1] et, comme l'os de mouton était là, le juge d'instruction l'avait immédiatement accusé, mais en réalité ce fut le coin de la table qui

---

1. Contondant : qui blesse sans couper.

avait blessé si gravement Mlle Stangerson.

« Il me restait à savoir, en dehors du nom de l'assassin que je devais connaître quelques jours plus tard, à quel moment avait eu lieu la première phase du drame. Elle s'est déroulée quand le professeur Stangerson est allé parler avec le jardinier. L'assassin est déjà caché dans la « chambre jaune ». Mlle Stangerson arrive. Tout a dû être très rapide !... Mlle Stangerson a dû crier... ou plutôt a voulu crier ; l'homme l'a saisie à la gorge... Mais la main de Mlle Stangerson a pris, dans le tiroir de la table de nuit, le revolver qu'elle a caché depuis qu'elle sait que l'homme la poursuit. L'assassin brandit déjà sur sa tête cette arme terrible dans les mains de Larsan-Ballmeyer, un os de mouton... Mais elle tire... le coup part, blesse la main de l'assassin qui abandonne l'arme. L'os de mouton roule par terre... l'assassin chancelle[1], va s'appuyer au mur, y laisse la marque de ses doigts rouges, craint une autre balle et s'enfuit... »

Rouletabille se tourna alors vers M. Darzac :

– Vous savez la vérité, s'écria-t-il, dites-nous donc si la chose ne s'est pas passée ainsi ?

– Je ne sais rien, répondit M. Darzac.

– Vous êtes un héros ! fit Rouletabille, en croisant les bras... Mais si Mlle Stangerson était,

---

1. Chanceler : pencher de côté et d'autre comme si on allait tomber.

hélas ! en état de savoir que vous êtes accusé, elle viendrait vous défendre elle-même !

M. Darzac ne fit pas un mouvement, ne prononça pas un mot. Il regarda tristement Rouletabille.

Le président s'écria alors :

– Mais enfin, quel est ce mystère qui fait que

Mlle Stangerson, que l'on tente d'assassiner, dissimule un pareil crime à son père ?

– Ça, monsieur, fit Rouletabille, je ne sais pas !... Ça ne me regarde pas !...

***

Le lendemain, M. Robert Darzac était remis en liberté provisoire*. On chercha vainement Frédéric Larsan. La preuve de l'innocence était faite. M. Darzac fut définitivement libre.

Le soir du procès, Rouletabille et moi allâmes dîner dans un restaurant.

– Mon ami, lui dis-je, cette affaire de Larsan est tout à fait extraordinaire et digne d'un cerveau comme le vôtre. Cependant, il me reste une question à vous poser : comment avez-vous pensé que Larsan pouvait être l'assassin ?

– Vous avez donc oublié l'histoire de la canne, me répondit mon ami. Elle a toujours appartenu à Larsan. C'est lui qui l'a achetée en se faisant passer pour M. Darzac, car il espérait bien le faire accuser du crime pour qu'il disparaisse à jamais de la vie de Mlle Stangerson. Le plus étrange, c'est que c'est cette même canne qui l'a accusé, lui, Larsan. Il s'en servait pour cacher sa blessure à la main. J'avais enfin une preuve fondamentale. Le reste, je suis allé le trouver en Amérique. Je vous raconterai cela un autre jour.

QUELQUES JOURS PLUS TARD, j'eus l'occasion de lui demander ce qu'il était allé faire en Amérique. Il me répondit qu'il devait connaître la véritable personnalité de Larsan pour comprendre ce qui s'était passé. Par conséquent, il avait pensé que le mystère devait avoir son origine dans la vie de Mlle Stangerson en Amérique.

Le commencement de cette histoire remontait à une époque lointaine où, jeune fille, Mlle Stangerson vivait avec son père à Philadelphie. Là, elle fit connaissance, dans une soirée, d'un Français qui sut la séduire par ses manières, sa douceur et son amour. On le disait riche. Il demanda la main de Mlle Stangerson au célèbre professeur. Celui-ci prit des renseignements sur M. Jean Roussel – ainsi s'appelait le charmant jeune homme qui n'était autre que Ballmeyer. M. Stangerson n'apprit rien de concret sur lui mais il sentit qu'il s'agissait d'un homme étrange et dangereux. Il refusa la main de sa fille et envoya cette dernière, qui était fort contrariée par l'attitude de son père, se calmer sur les bords de l'Ohio, chez une vieille tante qui habitait Cincinnati. Jean alla rejoindre Mathilde. Ils s'enfuirent ensemble et se marièrent secrètement. Ils s'installèrent à Louisville. Là, un matin, on vint frapper à leur porte. C'était la police qui venait arrêter Jean Roussel et annoncer à Mathilde que son mari était le dangereux Ballmeyer.

Désespérée, après une vaine tentative de suicide, Mathilde revenait près de son père, qui lui pardonna tout. À partir de ce jour, la jeune fille ne voulut plus que deux choses : ne plus jamais entendre parler de son mari, le terrible Ballmeyer, et travailler sans relâche auprès de son père.

Elle avait tenu parole. Mais elle rencontra M. Darzac et se mit à l'aimer. Elle lui avoua son terrible secret. Un jour, elle apprit la mort de Ballmeyer et accepta d'épouser son merveilleux et patient ami, M. Darzac. Mais Jean Roussel était bien vivant et il lui fit savoir qu'il ferait tout pour empêcher ce mariage car il l'aimait toujours ! Ce qui, hélas ! était vrai.

Dans une lettre, Jean Roussel-Frédéric Larsan-Ballmeyer lui rappelait les premières heures de leur union dans ce petit et charmant presbytère qu'ils avaient loué à Louisville....

*D*EUX MOIS ENVIRON après ces événements, je rencontrai Rouletabille assis mélancoliquement sur un banc du Palais de Justice*.

– Eh bien, lui dis-je, à quoi pensez-vous, mon cher ami ? Vous allez l'air bien triste. Comment vont vos amis ?

– En dehors de vous, me dit-il, ai-je vraiment des amis ?

– Mais j'espère que M. Darzac...

– Sans doute...

– Et que Mlle Stangerson... Comment va-t-elle, Mlle Stangerson ?...

– Beaucoup mieux... mieux... beaucoup mieux...

– Alors il ne faut pas être triste...

– Je suis triste, répondit mon ami, parce que je me sens parfois très seul...

Et il poussa un gros soupir.

Le journalisme

Annonce (petites annonces) : avis que l'on publie dans un journal pour offrir ou demander quelque chose (un emploi, un appartement...).

Article : écrit qui forme un tout et que l'on publie dans un journal.

Feuilleton : chapitre d'un roman qui paraît régulièrement dans un journal.

Interview : publication d'une entrevue qu'un journaliste a eue avec une personne.

Journal : publication quotidienne consacrée à l'actualité.

Journaliste : personne qui collabore à la rédaction d'un journal.

Lignes : texte court.

Note : communiqué que l'on porte à la connaissance des lecteurs.

Publier : faire connaître quelque chose au public par des écrits.

Rédacteur : personne qui écrit les articles d'un journal.

Rédaction : ensemble des rédacteurs d'un journal.

Rédiger : écrire un texte.

Reporter : journaliste qui fait des reportages.

La justice

Accusé : personne qu'on soupçonne d'un crime et qui paraît devant la cour d'assises.

Acte d'accusation : document qui expose les faits criminels dont une personne est accusée.

Audience : séance d'un tribunal.

Avocat : personne qui défend l'accusé lors d'un jugement.

Barre : lieu où comparaissent les témoins, où plaident les avocats...

Cour d'assises / assises : tribunal jugeant les criminels.

Déposition : déclaration que fait, sous serment, une personne qui témoigne en justice.

Greffier : officier public chargé de recueillir par écrit tous les moments de l'enquête policière.

Huissier : personne qui introduit le tribunal dans la salle d'audience et assure la police de l'audience.

Juge d'instruction : magistrat chargé de diriger une enquête policière.

Juger : examiner une affaire pour déterminer les coupables ou les innocents.

Liberté provisoire : liberté accordée à un individu en état de détention préventive.

Maître : titre que l'on donne aux gens de loi (avocat, par exemple) en remplacement de Monsieur ou Madame.

Palais de Justice : lieu où siègent les cours et les tribunaux.

Procès : action en justice.

Témoin : personne en présence de qui s'est accompli un fait, et qui doit raconter, sous serment, ce qu'elle a vu, ce qu'elle sait.

Chapitre I

1. Quelle nouvelle la note, apparue en dernière heure dans le journal *Le Temps*, annonçait-elle ?

2. Pourquoi M. Stangerson et sa fille étaient-ils célèbres ?

3. Comment le père Jacques et M. Stangerson sont-ils parvenus à entrer dans la « chambre jaune » ?

4. Quel spectacle ont-ils découvert en entrant dans la chambre de Mlle Stangerson ?

5. Quelles marques l'assassin a-t-il laissées sur le lieu du crime ?

6. Pourquoi le père Jacques dit-il qu'il a eu de la chance d'être avec le professeur au moment du crime ?

Chapitre II

1. Comment Sainclair et Rouletabille se sont-ils connus ?

2. Selon l'avis de Rouletabille, qui a utilisé le revolver du père Jacques ? Pourquoi ?

3. Pourquoi Rouletabille voulait-il que Sainclair l'accompagne au Glandier ?

Chapitre III

1. Pourquoi le professeur Stangerson a-t-il choisi le château du Glandier pour vivre ?

2. Quel genre de vie Mlle Stangerson menait-elle avant la tentative d'assassinat ?

3. Qui était Frédéric Larsan ? Qu'est-ce que Rouletabille pensait de lui ?

4. Selon l'avis des enquêteurs, quelle fut l'arme qui a blessé Mlle Stangerson à la tempe et où l'a-t-on trouvée ?

5. Qu'est-ce que Rouletabille a découvert en examinant la « chambre jaune » ?

Chapitre IV

1. Pendant l'interrogatoire qui a eu lieu dans le laboratoire, qu'est-ce qu'on a appris sur Mlle Stangerson et M. Darzac ?

2. Qu'a-t-on volé à M. Stangerson ?

3. Comment Rouletabille a-t-il deviné qu'on a volé quelque chose d'important à M. Stangerson ?

Chapitre V

1. Pourquoi Rouletabille était-il étonné de voir Frédéric Larsan avec une canne ?

2. À la gare, qu'est-ce que Rouletabille est parvenu à apprendre sur la canne de Larsan ?

3. D'après les recherches faites par Sainclair, qui a acheté la canne ?

Chapitre VI

1. Qu'est-ce Rouletabille a appris sur M. Darzac pendant la réception à l'Élysée ?

2. Que s'est-il passé entre Rouletabille et Robert Darzac lors de leur première entrevue au château du Glandier ?

Chapitre VII

1. Pendant le procès, comment Frédéric Larsan s'est-il comporté envers M. Darzac ?

2. Pourquoi Rouletabille s'est-il présenté au procès ?

3. Selon Rouletabille, qui était l'assassin ?

4. Quelle preuve a-t-il donnée au président du tribunal ?

5. Qui était en réalité Frédéric Larsan ?

6. Quand le crime a-t-il eu lieu ?

7. Comment Mlle Stangerson s'est-elle blessée à la tempe ?

8. Quel indice a permis à Rouletabille de connaître le nom de l'assassin ?

Chapitre VIII

1. Pourquoi Rouletabille est-il allé en Amérique ?

2. Là-bas, quel secret a-t-il découvert sur Mlle Stangerson et Larsan ?

3. Qu'est-ce que le « presbytère » représentait pour Mlle Stangerson et Ballmeyer ?

Chapitre IX

1. Quelle était la raison de la tristesse de Rouletabille ?

Édition : Martine Ollivier
Couverture : Fernando San Martin
Illustrations : Conrado Giusti
Coordination artistique : Catherine Tasseau
Réalisation PAO : Marie Linard

Crédits photos :
Couverture : Stephen / Adobe Stock
Page 3 : portrait de G. Leroux / Jean-Loup
Charmet

N° de projet : 10278101 - Dépôt légal : avril 2019
Imprimé en France en septembre 2021 par la Nouvelle Imprimerie Laballery - N° 108416